Argentina en el mundo

La República Argentina, situada en el extremo sur del continente americano, abarca una superficie de casi 3.8 millones de km^2 que incluyen tanto su parte continental como la insular.

Su territorio encierra atributos inmersos bajo un enorme contraste de relieves, que se brindan ante las tierras del Glaciar Perito Moreno, las Cataratas del Iguazú, el tango y el fútbol, el gaucho, el mate, los buenos vinos y el asado.

Se divide en cinco grandes regiones constituidas por provincias hermanadas por lazos históricos, geográficos, climáticos y económicos: el Centro, el Noreste y Litoral, el Noroeste, Cuyo y la Patagonia.

Argentina in the world

The Argentine Republic is located in the extreme southern part of the American continent, covering a surface of 2.3 million square miles that include the continental and insular parts.

The territory holds immense attributes under an enormous geographical relief contrast reflected in sites such as the Perito Moreno glacier or the Iguazú Falls, and traditions like tango and soccer, the gaucho, mate tea, good wines and asado.

Argentina is divided into five big regions formed by provinces linked by historical, geological, climatic and economic backgrounds. These regions are known as: the Center, the Northeast and Mesopotamia, the Northwest, Cuyo and the Patagonia.

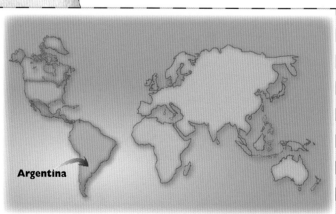

Mapas infográficos ilustrativos | www.perceptual.com.ar

Prólogo

Argentina, un sueño real podría llamarse *El Libro de la Diversidad* porque encierra y contiene esa estupenda variedad de contrastes que caracteriza al paisaje argentino.

La ubicación del país, tirado de norte a sur, le permite una combinación de rostros que no se agota nunca, puesto que va desde la impactante vegetación tropical de sus selvas hasta los hielos eternos de la Patagonia. Las fotografías que ilustran esta publicación así lo acreditan. Y esta multiplicidad se refleja en el sistema federal proclamado en nuestra Constitución, en las singularidades que distinguen a las regiones, el folklore, las tonadas, todo lo que configura el conjunto nacional. Una simple ojeada a este libro es una gráfica síntesis de la riqueza que nuestras tierras atesoran, como un recorrido a las tensiones y contradicciones de nuestra historia.

Estas páginas son, pues, necesariamente heterogéneas y esta condición asalta de entrada al lector. Frutos ubérrimos y desolaciones infinitas, jinetes manejando gordas reses y soledades enormes, ciudades opulentas y poblaciones del último aliento. Pero todo es Argentina, todo es lo nuestro, todo es la Patria. Y esta es la impresión que nos deja esta obra, a través de la mera imagen.

Dr. Félix Luna

Prologue

Argentina, a Real Dream *could be called* **The Diversity Book** *because it withholds that wonderful and contrasted variety typical of the Argentinean landscape.*

The country's location from the north to the south allows a never-ending combination of natural faces, going from the impressive tropical vegetation of its forests to the eternal glaciers in the Patagonia. The photographs illustrating this book evidence this fact. Likewise, this variety feature is reflected in the federal system proclaimed in our Constitution, in the singularities that distinguish each region, the folklore, the accents, and every aspect that sets the country's assembly. A simple glimpse of this book will provide a visual synthesis of the richness that our lands treasure, like a journey through the tensions and contradictions of our history.

Furthermore, this book's pages are necessarily heterogeneous, therefore catching the reader off guard. Bountiful land products and infinite desolation, riders driving prominent cattle heads, opulent cities and dying towns. It is all Argentina, everything is ours, and everything constitutes our native land. To sum up, this is the impression this piece of work leaves, through a mere image.

Dr. Félix Luna

Buenos Aires y centro del país

Tierras extensas que inician el viaje y representan el punto de partida para descubrir cada rincón de la Argentina. Una extraña combinación de imágenes que se contraponen en territorios donde confluyen el bullicioso mundo de la ciudad de Buenos Aires con el infinito silencio de las llanuras pampeanas y los ondulados valles serranos con las frías aguas de la costa atlántica.

La región central del país, que integran Buenos Aires, Córdoba y La Pampa, es uno de los pilares fundamentales del desarrollo económico, cultural y social de la República Argentina.

La provincia de Buenos Aires encierra en su geografía paisajes que asombran por su multiplicidad. Su capital reúne todas las manifestaciones de una metrópolis moderna, desde su urbanización, su arquitectura, sus museos y su casco histórico, hasta su diversidad de propuestas turísticas; todo esto la distingue como una de las ciudades más importantes del mundo.

Alejándose de la urbe porteña, el aire comienza a sentirse más puro y el espíritu del campo se adueña de cada lugar. En la zona radica gran parte de las riquezas agrícolas y ganaderas del país, por lo que la región se fue poblando de estancias que a fines del siglo XVIII comenzaron a generar importantes fuentes de trabajo. Con el paso del tiempo muchas de ellas han sido declaradas Monumentos Nacionales y otras ofrecen a sus visitantes disfrutar de un día campestre para descubrir la cultura y las tradiciones gauchescas.

Donde el horizonte se hace perfecto y los terrenos se pierden sobre interminables llanuras, La Pampa despliega sus solitarias planicies. Comprende dos subregiones: la pampa húmeda, de clima más benigno y tierras fértiles que se adaptan al cultivo de cualquier especie vegetal, y la pampa seca, formada por una tenue serranía surcada por lagos y valles. El Parque Nacional Lihué Calel abarca una superficie de 10.934 hectáreas y conserva un sistema serrano que constituye un rasgo sobresaliente de la provincia.

Por ser parte del eje central del Corredor Bioceánico, Córdoba es conocida como la provincia mediterránea. Se extiende sobre encantadores valles que significan la exacta transición entre las llanuras del este y las montañas del oeste.

Buenos Aires and the middle part of the country

Extensive lands represent the starting point for the discovery of each Argentine corner. An usual combination of images are joined in a territory as noisy as the streets of the capital Buenos Aires, and as calm as the pampean plains or the mountainous valleys with the cold waters of the atlantic coast.

The central region of the country, formed by the provinces of Buenos Aires, Córdoba and La Pampa, constitutes the basis for the country's cultural, economic, and social development.

The Buenos Aires province withholds landscapes that surprise by their diversity. The city of Buenos Aires has all the characteristics of a modern metropolis, from its urbanization, architecture, museums and history, to the different tourist attractions. Every aspect distinguishes it as one of the most important cities of the world.

As we move away from the port of Buenos Aires, the air feels purer and a rural spirit invades every place. Within the Buenos Aires province lies most of the agricultural and stockbreeding richness of the country, and this fact constitutes the reason why the estancias populated the region during the late XVIII century creating job opportunities. As time went by, many of these land estates have been declared National Monuments and others offer tours to discover rural life and its traditions.

Where the horizon is flawless and the territory stretches over never-ending mountains, La Pampa unfolds its solitary plains. It comprises two sub-regions: the humid pampa, with a more gentle weather and fertile grounds suitable for almost every type of crop, and the dry pampa, formed by low hills divided by lakes and valleys. The National Park Lihué Calel covers a surface of 27,018 acres and preserves a mountainous scene typical of the province.

Because it is part of the bioceanic corridor, Córdoba is known as the mediterranean province. This province extends itself over charming valleys that are an exact transition from plains on the east, to mountains on the west.

Puerto Madero es el barrio más joven de la Ciudad, con una urbanización que se inició a principios de los '90.

Puerto Madero is the youngest neighborhood, with an urbanization that began in the 90´s.

El antiguo Puente Transbordador y el Puente Nicolás Avellaneda son un clásico de la geografía del Riachuelo.

The old Transbordador bridge and the Nicolás Avellaneda are a classic part of the Riachuelo.

Ciudad de Buenos Aires

Buenos Aires es la capital de la República Argentina, una ciudad en la que una infinidad de íconos urbanos se manifiestan entre estilos tan simples como vanguardistas; sorprendentes historias y tradiciones que convergen en una perfecta fusión de heterogénea anatomía, como un juego de ingenio que al unir sus piezas da por resultado la mágica identidad de la Reina del Plata.

El Riachuelo y el Río de la Plata denotan sus márgenes naturales hacia el sur y hacia el este, mientras que la avenida General Paz bordea la Ciudad de norte a oeste completando sus límites. Aunque los 202 km² que su superficie comprende hacen complicado trazar un recorrido que permita descubrir su magnitud, se distinguen barrios elegantes y sofisticados como Recoleta, Palermo o Puerto Madero y otros como San Telmo y La Boca, que encierran bajo los empedrados de sus calles la rica historia de un pueblo. Desde las obras arquitectónicas de líneas europeas que se levantan en la Avenida de Mayo, en la peatonal Florida o en el barrio de Retiro, hasta la Avenida 9 de Julio, la más ancha del mundo, su geografía enamora y resulta imposible no

asombrarse ni dejarse conquistar por esta imponente urbe de 3 millones de habitantes.

Como muchas de las ciudades establecidas por los españoles en Sudamérica, Buenos Aires fue fundada en más de una oportunidad. En 1536 el primer adelantado del Río de la Plata, don Pedro de Mendoza, estableció el pueblo de Ciudad y Puerto Santa María de los Buenos Aires junto a las costas del río Luján. La instauración definitiva se dio con el nombre de Ciudad de la Santísima Trinidad y Puerto Santa María de los Buenos Aires, en 1580 por el capitán Juan de Garay, quien alrededor de la Plaza Mayor -conocida actualmente como Plaza de Mayo- distribuyó las primeras parcelas entre los 65 habitantes que la Ciudad tenía; además se eligió como santo patrono a San Martín de Tours. Buenos Aires nació sobre un terreno llano, con sus calles cortándose en ángulo recto, forma característica de las leyes de las Indias. La masiva inmigración que recibió entre 1870 y 1910 le otorgó su singular aspecto, que sin dudas la destaca entre todas las ciudades de América del Sur.

Buenos Aires city

Buenos Aires is the capital of the Argentine Republic, a city where thousands of icons project themselves in styles which go from simple to modernist, amazing stories, and traditions merging together to create a diverse combination, similar to a puzzle that once completed results in the magic identity the "Reina del Plata" brings.

The Riachuelo and the Río de la Plata mark the natural boundaries to the south and to the east of the city, and the General Paz highway completes the northern and western borders. Although it is difficult to draw a path to discover the entireness of the 125.52 square miles that make up the city, some elegant and sophisticated neighborhoods can be marked as highlights such as Recoleta, Palermo, Puerto Madero, San Telmo and La Boca, the streets of which withhold the rich history of the town. From the european architectonic works raised in the Mayo Avenue, Florida street, or Retiro neighborhood, to the 9 de Julio Avenue (the world's widest), and its geographic charms, it is nearly

impossible not to be dazzled or conquered by this imposing metropolis of more than 3 million inhabitants.

Like many other cities founded by the spaniards in South America, its foundation took place more than once. In 1536 Don Pedro de Mendoza initially established the town "Ciudad y Puerto Santa María de los Buenos Aires". And finally, the definite founding of the city goes with the name of "Ciudad de la Santísima Trinidad y Puerto Santa María de los Buenos Aires" in 1580 by Juan de Garay, who distributed the first lands around the Plaza Mayor, today known as the Plaza de Mayo, among the 65 inhabitants the city had back then. The city emerged with its square cut streets, typical of the Indian laws. The massive immigration received between 1870 and 1910 gave Buenos Aires its particular aspect, which undoubtedly sets it apart from other South American cities.

© Ricardo Ceppi

© Ariel Mendieta

El centro comercial Abasto, el Congreso de la Nación, el Teatro Colón, la Casa Rosada, Floralis Genérica y la Avenida 9 de Julio con el Obelisco porteño, son puntos que reflejan la seductora personalidad que tiene Buenos Aires.

© SubSecretaría de Turismo de la Ciudad de Buenos Aires

The Abasto shopping mall, the National Congress, the Colón Theatre, the Casa Rosada, Floralis Genérica and the Avenue 9 de Julio with the city Obelisco, are points that reflect the seductive personality Buenos Aires has.

© Andrés Pérez Moreno

© SubSecretaría de Turismo de la Ciudad de Buenos Aires

La Ciudad atesora en el tango, en los bares y en el arte símbolos que identifican gran parte de la esencia porteña.

The city trasures in Tango, in the bars and in art simbols that identify big part of the city´s essence.

© Ricardo Ceppi

© Ariel Mendieta

La cúpula central de las Galerías Pacífico se distingue por estar decorada con murales de los artistas plásticos argentinos Berni, Castagnino, Colmeiro, Spilimbergo y Urruchúa.

(Abajo) El fileteado es un arte que se adapta desde los objetos más simples hasta los más sofisticados. Máquina de escribir fileteada por el pintor Martiniano Arce.

© Ricardo Ceppi

The Galerías Pacífico central dome is distinguished by the art works from Berni, Castagnino, Colmeiro, Spilimbergo and Urruchúa, that decorate its walls.

The fileteado is an art that adapts to the most simple and sophisticated objects. Fileteada typewriter by the artist Martiniano Arce.

© SubSecretaría de Turismo de la Ciudad de Buenos Aires

© Ricardo Ceppi

La Boca, San Telmo, Tango

La zona sur de Buenos Aires goza engreída de su fama y se jacta de ser el paradigma de todo paseo turístico. La Boca es uno de los barrios más extravagantes de la Ciudad y debe su particular fisonomía a la gran cantidad de inmigrantes italianos que a mediados del siglo XIX se asentaron a orillas del Riachuelo. Como el tango que lleva su nombre, Caminito representa el inicio del recorrido, sus coloridas construcciones de chapa le otorgan personalidad a una feria que refleja el arte y la cultura del pueblo. El estadio y el museo del Club Atlético Boca Juniors cautivan los visores de cada cámara y el espectáculo se multiplica si en la "Bombonera" hay partido, el barrio se tiñe de azul y oro con los colores que su camiseta luce. El Museo Quinquela Martín atesora las obras del ilustre artista, que supo retratar las historias de vida del puerto. A pocas cuadras el Parque Lezama, un espacio verde de 85.000 m², es anfitrión cada domingo de una concurrida feria artesanal.

Las calles de San Telmo son las que mejor conservan su identidad gracias a la arquitectura de estilo colonial, los adoquines, sus clásicos bares y los antiguos faroles. El barrio es invadido cada fin de semana por turistas que buscan antigüedades en la feria que funciona en Plaza Dorrego, además se monta allí una amplia variedad de espectáculos callejeros, en su mayoría relacionados con el tango.

Surgido en los arrabales de la Ciudad a fines del siglo XIX, el tango es la música que presenta al mundo el vivir y el sentir porteño. Sus letras tan románticas como melancólicas, la sensualidad que su baile despliega y las cadencias de sus melodías no conocen de idiomas ni fronteras. Carlos Gardel fue su cantor más destacado y quizás el encargado de que cada compás de un bandoneón permita un viaje imaginario por las históricas calles de Buenos Aires.

© Ricardo Ceppi

La Boca, San Telmo, Tango

The southern portion of Buenos Aires lavishly enjoys the fame of being the paradigm of every tourist ride. La Boca is one of the most extravagant neighborhoods of the city and owes its particular anatomy to the massive immigration of the late XIX century, which settled itself on the Riachuelo shores. Like the tango that carries its name, "Caminito" represents the beginning of a tour surrounded by colorful constructions made of metal panels that give a unique personality to a fair that reflects the art and culture of its people. The Club Atlético Boca Juniors soccer stadium and museum both get the attention of every camera, and the spectacle multiplies if there is a soccer match at the "Bombonera" and the streets are covered with the blue and gold colors of the team. The Quinquela Martín Museum has a work collection of the famous artist whose main theme was life at the port. Every Sunday, a few blocks away from La Boca, the Lezama Park, a 278.871,39 square feet green space, hosts a huge art fair.

San Telmo keeps its identity due to its colonial style architecture, streets, classic bars, and old streetlights. Every weekend the neighborhood is invaded by tourists seeking antiques in the Dorrego Square fair. Likewise, a diversity of street performances mainly related to tango is offered as part of the attraction.

Born in the city's outskirts at the end of the XIX century, tango is the music that introduces the porteño's sentiment and way of living. Its lyrics are just as romantic as melancholic; the sensuality of its dance and the cadence of its melody are not aware of any geographical or language barriers. Carlos Gardel was the most renowned tango singer and, perhaps, also responsible for the fact that every bandoneon's compass takes listeners to an imaginary trip of the historic streets of Buenos Aires.

En sus orígenes el tango se bailaba en suburbios de la Ciudad con pasos muy provocativos. De poca aceptación entre las clases altas, fue transformándose en fenómeno para salir de los arrabales definitivamente. Sus letras reflejaban el contexto social de la época y manejaban el vulgar vocabulario de la calle.

El bandoneón siempre fue el alma de las orquestas, que han adquirido niveles y estilos de una exquisitez impensada años atrás.

In the beggining Tango was danced in the city slums with very passionate steps. Of low acceptance among the high class, it slowly transformed into a more accepted dance. Its lyrics reflected the times social setting and used slang street vocab.

The bandoneon is the orchestras soul, that acquired exquisite levels and syles unthinkable years before.

El superclásico del fútbol River vs. Boca es considerado uno de los eventos deportivos más importantes a nivel mundial.

El polo argentino está calificado como el mejor del mundo.

The River vs. Boca classic soccer match is considered one of the most relevant sport events on an international level.

The argentinean polo is catalogued as the worlds best.

Lejos del ruido y a
pocos kilómetros de
la Capital Federal,
el Delta del Tigre es
un desparramo de
vida entre los verdes
de su vegetación
y los ocres de sus
aguas. La pesca, los
deportes náuticos
o navegar sus
estrechos canales
en pequeñas
canoas resulta una
alternativa diferente
para establecer
un contacto más
directo con el medio
ambiente.

Away from the
noise and a few
miles from the city,
the Tigre´s Delta
is an explosion
of life among the
green vegetation
and the ochre color
of its waters. The
fishing, the nautical
sports or to sale
the narrow canals
in small canoes is a
different alternative
to get more in
touch with the
environment.

© Andrés Pérez Moreno

Sus ríos, arroyos e islas forman parte de una red de 20.000 km² que se reparten entre los cuatro brazos del río Paraná (Miní, Guazú, Bravo y de las Palmas). Es posible recorrerlo a bordo de catamaranes y lanchas colectivas que parten desde la Estación Fluvial de Tigre.

Its rivers, creeks and islands are a part of a 12,427 square miles network diveded between four arms from the Paraná river (Miní, Guazú, Bravo and Palmas). It is possible to cover it on catamaranes and bus motorboats that depart from the Port Fluvial of Tigre.

El mate es el símbolo de unión, amistad y fraternidad del pueblo argentino, como si se tratara de un ritual que no puede despreciarse. La infusión se prepara con la hoja desecada de la yerba mate y tiene diversas maneras de tomarse, puede servirse en recipientes de distintos materiales como calabaza, porcelana o plata.

(Left) The "mate" is the argentinean people symbol of union, friendship and fraternity, just like a ritual that it cannot be dismissed. This infusion is prepared with "yerba mate" dry leaves and has many ways of drinking it, it can be served in cups of different materials like pumpkin, porcelain or silver.

© Roberto Rainer Cinti

© Andrés Pérez Moreno

© Ricardo Ceppi

© Andrés Pérez Moreno

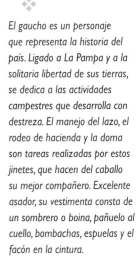

*El gaucho es un personaje
que representa la historia del
país. Ligado a La Pampa y a la
solitaria libertad de sus tierras,
se dedica a las actividades
campestres que desarrolla con
destreza. El manejo del lazo, el
rodeo de hacienda y la doma
son tareas realizadas por estos
jinetes, que hacen del caballo
su mejor compañero. Excelente
asador, su vestimenta consta de
un sombrero o boina, pañuelo al
cuello, bombachas, espuelas y el
facón en la cintura.*

The Gaucho is a character that
represents the country history.
Linked to La Pampa and to
the lonely freedom of its
lands, spends his time on rural
activities done with dexterity.
The use of the lasso, the ranch
rodeo and the doma are tasks
done by this riders, that make
the horse their best friend.
Excellent barbecue cooks,
his clothing includes a hat or
beret, a hankerchief around
the neck, "bombachas", spurs
and a knife on the waist.

Barco pesquero en el puerto de Mar del Plata.

(Abajo)Monumento a la Bandera, en Rosario, provincia de Santa Fe.

© Alejo Schatzky

Fishing boat in the Mar del Plata port.

The Flag Monument, in Rosario, Santa Fe province.

© Roberto Rainer Cinti

© Andrés Pérez Moreno

Amanecer en la
costa atlántica
argentina.

(Abajo) Casco
de la estancia
La Paz, provincia
de Córdoba.

© Andrés Pérez Moreno

Dawn at the
argentinean
atlantic coast.

Estancia La Paz
hull, Córdoba
province.

*En la llanura
pampeana radica
la mayor parte
de la riqueza
agrícola y
ganadera del país.
Las bondades de
sus terrenos y su
clima permiten
el desarrollo y
la obtención de
materias primas
de exportación.*

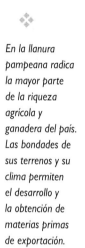

On the
pampean plains
lies the richest
agricultural
and cattle
raising biggest
part of the
country.
Its fertil
terrains and
its weather
allow a quick
delopment
and the
procurment of
international
feedstock.

© Ricardo Ceppi

© Andrés Pérez Moreno

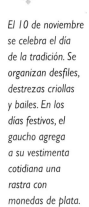

© Andrés Pérez Moreno

El 10 de noviembre se celebra el día de la tradición. Se organizan desfiles, destrezas criollas y bailes. En los días festivos, el gaucho agrega a su vestimenta cotidiana una rastra con monedas de plata.

On november the 10th. the tradition day is celebrated. Parades are organized, native shows and dances. On the festive days the gaucho add a coin covered belt to his clothings.

© Andrés Pérez Moreno

Córdoba

La naturaleza se muestra ante sus formas armoniosa, complaciente y se hace eterna entre los valles, sierras y llanuras que envuelven las mansas aguas de arroyos, ríos, embalses y lagos. Su vida late en el corazón mismo de la República Argentina.

La provincia de Córdoba se sitúa en la zona central del país y gran parte de su geografía se desarrolla entre extensos cordones serranos; las Sierras Grandes desde la zona oeste y las Sierras Chicas desde el este forman los Valles de Calamuchita, Punilla y Traslasierra. El conjunto de valles aporta localidades de importancia turística como Santa Rosa de Calamuchita, Villa Yacanto, Villa Carlos Paz, Cosquín, Capilla del Monte, La Falda, Mina Clavero y Villa Dolores. Pueblos como Villa General Belgrano y La Cumbrecita ostentan un definido estilo centroeuropeo, directamente arraigado a la idiosincrasia de sus habitantes, la mayoría de origen alemán, suizo y austriaco, que arribaron al país en la década del '30 y se establecieron en pintorescas colonias que conservan intactas sus tradiciones. A esto se suman las fiestas regionales como los festivales folklóricos de

Cosquín y de Jesús María, la fiesta de la cerveza y un evento único en el país como la fecha del rally mundial.

La región valliserrana encierra circuitos que ocupan un espacio preponderante en el desarrollo social y cultural de la zona. El legado de las tareas evangelizadoras de la Compañía de Jesús en tierras cordobesas propone un recorrido que integra la Manzana Jesuítica, las estancias de Jesús María, Santa Catalina, Alta Gracia, Caroya y La Candelaria. La enorme riqueza histórica del conjunto arquitectónico fue declarada por la UNESCO como Patrimonio Cultural de la Humanidad.

El punto más alto de las Sierras Chicas es el cerro Uritorco, sus 1.979 m de altura son reconocidos por las fantásticas leyendas que se tejen en torno a su particular atracción sobre fuerzas extraterrestres.

Sobre los territorios de la Pampa de Achala se extiende el Parque Nacional Quebrada del Condorito. Bajo una superficie de 37.000 hectáreas preserva una significativa población de cóndores andinos, en un hábitat que es el más alejado de la Cordillera de los Andes.

© Andrés Pérez Moreno

Córdoba

Nature shows itself through its harmonious forms and becomes eternal among the valleys, mountains and plains that engulf the calm creeks, river dams, and water lakes. Its life beats in the heart of the Argentine Republic.

The Córdoba province is located in the central area of the country and a great part of its geography is developed between long mountain ranges; the Grandes Mountains from the west and the Chicas Mountains from the east form the Calamuchita, Punilla and Traslasierra valleys. These valleys contain very important tourist points like Santa Rosa de Calamuchita, Villa Tacanto, Villa Carlos Paz, Cosquín, Capilla del Monte, La Falda, Mina Clavero, and Villa Dolores. Towns like Villa General Belgrano and La Cumbrecita have a central european defined style, directly linked to their inhabitants' idiosyncrasy, who in their vast majority emigrated from Germany, Switzerland and Austria in the 1930´s and established themselves in colorful colonies keeping their traditions intact. In addition to this, regional folkloric festivals are held such as Cosquín, Jesus María, the beer Oktoberfest and the unique international rally championship.

The valley-mountainous region includes circuits that play an important role in the social and cultural development of the area. The legacy from the Jesuit Missions in these lands sets up a tourist route that includes the Manzana Jesuítica, the estancias Jesús María, Santa Catalina, Alta Gracia, Coroya, and La Candelaria. The enormous historical wealth of the architecture was declared part of the Humanity Cultural Patrimony by UNESCO.

The highest point of the Chicas Mountains is the Uritorco hill, the 6,492.78 feet of which are recognized by the fantastic UFO legends that are linked to it.

Over the Pampa de Achala territories, the Condorito´s Gorge National Park can be found. With an extension of 91,428.99 acres, it preserves an andino´s condors population in an environment that constitutes the most distant from the Andes Mountains.

© Andrés Pérez Moreno

© Ariel Mendieta

(Arriba) Parque Nacional Quebrada del Condorito, Córdoba.

(Izquierda) Dique Los Alazanes, en el interior de Córdoba.

(Derecha) Terrones de Ongamira, provincia de Córdoba.

(Above) Condorito´s George National Park, Córdoba province.

(Left) Los Alazanes dike, in Córdoba province.

(Right) Terrones de Ongamira, Córdoba province.

Patagonia... Sur continental

Extensos territorios donde la naturaleza se hace infinita y asume un asombroso protagonismo. La Patagonia transmite la desmesurada belleza de horizontes que desaparecen en inhóspitos confines y que se abren a la imaginación, desplegándose entre el blanco azulado de sus hielos. Imponentes montañas que derriten sus nieves en lagos que, como espejos, reflejan imágenes de sublime armonía y verdes valles que se confunden entre las ventosas costas de los mares australes.

Su geografía está constituida por una meseta escalonada, bordeada por la Cordillera de los Andes hacia el oeste y por el océano Atlántico hacia el este. La región andina está conformada por lagos, bosques y cadenas montañosas, mientras que la extra andina comprende áridas mesetas pobladas por estancias dedicadas a la cría de ganado ovino.

La historia de la zona entrelaza las costumbres de ancestrales comunidades aborígenes con el fuerte flujo inmigratorio de fines del siglo XIX. Sus primeros habitantes fueron los indios tehuelches, a excepción de la zona fueguina que se encontraba poblada por los yámanas. Los araucanos, que cruzaron la Cordillera desde Chile, se afincaron en la zona como otro gran grupo indígena.

Años más tarde, importantes inmigraciones que provenían del viejo continente fueron las principales precursoras del desarrollo económico de la región. Galeses, ingleses, franceses, suizos, alemanes, españoles e italianos se establecieron en colonias agrícolas y comprendieron que los suelos patagónicos demandarían siempre el esfuerzo y la lucha constante de quienes se afincaran en ellos.

Las riquezas naturales de regiones que suponían "el fin del mundo" despertaron el instinto aventurero de heroicos navegantes europeos que desafiaron tempestuosas aguas en busca de terrenos inexplorados, y el de ambiciosos buscadores de oro que viajaron motivados por historias acerca de la existencia del dorado mineral.

La Patagonia genera una particular fascinación que trasciende los límites de lo racional, paisajes que son la representación misma de un paraíso de ensueño y que enamoran a quienes descubren los mágicos encantos de sus tierras.

Patagonia... Continental South

Wide territories where nature grows to become infinite and assume an amazing role. Patagonia conveys the extreme beauty of its horizons, which disappear into endless borders giving in to imagination and unfolding among the bluish tone of its glaciers. Imposing mountains that melt their snows into lakes that, like mirrors, reflect sublime images of harmony and green valleys confounded amid the windy coasts of the southern seas.

The patagonian geography is formed by a stepped flat surface bordered by the Andes mountain range to the west and by the Atlantic Ocean to the east. The Andean region consists of lakes, forests, and mountains, while the extra-Andean region includes barren plains colonized by estancias devoted to ovine production.

The region's history entangles ancestral traditions from native communities with the strong immigration wave of the XIX century. The first residents were the tehuelche indians, with the exception of the fueguinean district that was populated by the yámanas. The araucanos, who crossed the Andes from Chile, settled in the zone as another large native group. Some years later, immigrants from Europe were the main pioneers in the area. Welsh, english, french, swiss, italian, german and spanish immigrants settled down in agricultural colonies. The patagonian territory always demanded the effort of those who lived on it.

The natural riches of the area that allegedly constituted "the end of the world", awoke the daring instinct of heroic european navigators who defied stormy waters in search of uncharted grounds, and of the ruthless gold explorers who traveled motivated by the legends of this precious metal's existence.

Patagonia generates a particular fascination that transcends all rational limits, with landscapes that are the illustration of a dreamed paradise and that captivate those who discover the magical enchantments of this land.

Los hielos del glaciar Viedma ocupan una superficie de 575 km², con paredes que superan los 60 m de altura.

The Viedma glacier cover a surface of 357 square miles, with ice walls that go over 196 feet high.

Parque Nacional Los Glaciares

Sus gélidas y azuladas formas crujen, quebrantando el conmovedor silencio de la naturaleza, cambian caprichosamente sus colores, se desplazan incansables y se desprenden de las moles glaciarias para navegar por las heladas aguas del Lago Argentino. Parecieran tener vida propia, de hecho la tienen y es la que eternamente encierra los fascinantes secretos sus hielos.

Los Hielos Continentales del Sur constituyen una porción importante del Parque Nacional Los Glaciares, declarado por la UNESCO Patrimonio Natural de la Humanidad. Ubicado en la provincia de Santa Cruz, cercano al poblado de El Calafate, abarca una superficie de 726.927 hectáreas. Su extensión está cubierta casi en un 40 por ciento por hielos que alimentan las principales cuencas de agua dulce del área. De los 47 glaciares mayores, 13 pertenecen a la cuenca del Atlántico.

El glaciar Perito Moreno es sin dudas el principal atractivo del Parque, ocupa una superficie de 195 km², con una altura de sus paredes frontales que oscila entre 30 y 60 m sobre el nivel del lago. En algunos sectores alcanza una profundidad de 1.000 m.

El glaciar Upsala es el más grande dentro del Parque Nacional, con una superficie de 595 km². Junto con los glaciares Onelli, Spegazzini, Agassiz, Bolado, Heim, Mayo y Seco completan un recorrido turístico de descomunal belleza.

A 220 km de El Calafate, la localidad de El Chaltén goza la condición de Capital Nacional del Trekking. Fundado al pie de los cerros Fitz Roy (3.405 m) y Torre (3.102 m), el pueblo es un paraíso para los amantes de las actividades de montaña.

Al sur del pueblo de Perito Moreno, la Cueva de las Manos preserva las representaciones de arte rupestre más importantes de la Patagonia. Las pinturas manifiestan la cultura de los aborígenes que miles de años atrás habitaron la zona, exhiben impresiones de manos y varias escenas de caza. Fueron declaradas Patrimonio Cultural de la Humanidad por la UNESCO.

The Glaciers National Park

The frozen and bluish forms crack, breaking the touching silence of nature. These shapes impulsively change their colors, tirelessly move, and fall apart from the glacial masses to sail in journeys through the cold waters of the Argentine Lake. They seem to have a life of their own, in fact they do and this life will hold fascinating secrets eternally.

The South Continental Glaciers are an important part of the National Park, declared Humanity National Patrimony by the UNESCO. Located in the Santa Cruz province, next to the El Calafate town, this park has surface of 1,796,275.74 acres. Its territory, 40% of which is covered by ice, drains its waters into the main freshwater supplies of the area. Of the 47 largest glaciers, 13 belong to the Atlantic Coast.

The Perito Moreno glacier is certainly the main attraction, covering a surface of 119.30 square miles, and with a height ranging between 98.43 and 196.85 feet above the lake's level. In some parts this glacier reaches a depth of 3,280.84 feet.

The Upsala glacier is the biggest within the park with a surface of 369.72 square miles. The glaciers Onelli, Spegazzini, Agassiz, Bolado, Hein, Mayo, and Seco complete an extremely beautiful tourist trail.

136.70 miles away from El Calafate, the town of El Chaltén is known as the Argentine Trekking Capital. Founded on the valley of the Fitz Roy peak (11,171.26 feet) and the Torre peak (10,177.17 feet), this town is a heaven come true for mountain activity lovers.

To the South of the Perito Moreno town, the Hands Cave preserves the most important rock art representations of the area. The paintings manifest the natives culture that lived in these parts thousands of years ago, showing hand impressions and carious hunting scenes. They were declaired Humanity Cultural Patrimony by the UNESCO.

Las agujas del cerro Fitz Roy son codiciadas por andinistas de todo el mundo.

The Fitz Roy peaks are wanted by climbers from all over the world.

Sobre el Lago Argentino se encuentra el glaciar Perito Moreno, su constante avance provoca desprendimientos que se fragmentan en múltiples témpanos.

Over the Argentine Lake we found the Perito Moreno glacier, its constant growth creates constant detachements that creates multiple ice floes.

Corral y establo de la estancia Stag River, provincia de Santa Cruz.

Corral from the estancia Stag River, Santa Cruz province.

Estancias y turismo rural

Sus antiguos orígenes remontan al tiempo en que el sur argentino no era más que infinitos suelos casi desiertos. A fines del siglo XIX los primeros colonos europeos se aventuraron a las mesetas esteparias de La Pampa, hasta aquel momento territorio de los indios tehuelches. Con escasos recursos comenzaron a establecerse al pie de la Cordillera y a orillas de los grandes lagos, lugares propicios para la crianza de animales, especialmente ganado ovino y vacuno.

El paso de los años fue dejando sus marcas y muchas de las estancias que en alguna época sirvieron como refugio para expediciones andinas han quedado abandonadas en medio de la inmensidad patagónica. Pero no todas corrieron la misma suerte, las fincas que fueron manejadas por generaciones familiares, sumadas a las que fueron adquiridas por poderosos terratenientes en estos últimos tiempos, son de vital importancia en el desarrollo económico de la región e integran un circuito turístico que permite conocer las tradiciones y la vida del hombre de campo.

Las estancias proponen fomentar la cultura autóctona de una manera simple y lejana a toda sofisticación. Junto a los valores naturales de la región, resaltan el espíritu hospitalario y solidario de su gente, tanto como el folklore y los sabores de la cocina local. Dentro de las actividades que se realizan en los establecimientos rurales, la esquila conserva los artesanales procedimientos que los pioneros utilizaban cuando la venta de lana de sus ovejas permitía aprovisionarse para soportar los crudos inviernos patagónicos.

© Andrés Pérez Moreno

Estancias and rural tourism

Its origins go back to the times when the Argentinean south was no more than a desolate and almost deserted ground. Towards the end of the XIX century, the first europeans ventured into the La Pampa plain, which was until then under the domains of the tehuelche natives. With limited resources the immigrants began to settle down in the Andes valleys and on the shores of the great lakes, areas favorable for animal rising especially ovine and bovine cattle.

The passage of time left its marks and many of the estancias that served as andean expedition shelters are now abandoned in the patagonian immensity. But not all of these estates suffered the same fate, the properties that were handed down by family generations and the ones acquired by powerful landlords are presently of vital importance to the region's economic progress and constitute tourist sights that show the customs and way of life of the rural man.

The estancias stimulate the native traditions in a simple and non-sophisticated way. Next to the humane values of the people, the spirit of hospitality is emphasized together with the folklore and the local cuisine flavors. Among the activities of these rural establishments, shearing is still carried out under the primitive procedures applied by the pioneers in times when wool trade allowed for the supplying required to undergo the harsh patagonian winters.

*La cría de ganado ovino
es uno de los principales
sustentos económicos de
las estancias patagónicas.*

*Los galpones de esquila
cuentan con modernas
tecnologías que agilizan
el trabajo, en algunos aún
se retira manualmente la
lana del animal.*

© Andrés Pérez Moreno

© Andrés Pérez Moreno

The raising of sheep
cattle is one of the main
economic resources
from the patagonian
estancias.

The shred warehouses
count with modern
technology that makes
the job easy, on some
of them though, it is still
done manually.

© Andrés Pérez Moreno

© Alejo Schatzky

© Andrés Pérez Moreno

Costa Patagónica
y Península Valdés

Descubrir el salvaje magnetismo de sus paisajes significa acercarse a la naturaleza como parte de la aventura y comprender la esencia de la vida en nuestro planeta. Experiencias que se traducen en la costa patagónica a través de uno de los mayores reservorios de fauna marina del mundo.

Puerto Madryn, en la provincia de Chubut, constituye el centro turístico más importante de la región y es el punto de partida de la mayoría de las excursiones. La Península Valdés, declarada Patrimonio Natural de la Humanidad por la UNESCO, está unida al continente por el istmo Florentino Ameghino y su geografía resulta de vital importancia en el ciclo reproductivo de especies como la ballena franca austral, los pingüinos y los lobos y elefantes marinos. El sistema Valdés agrupa reservas naturales como Punta Pirámide, Punta Loma, Caleta Valdés, Isla de los Pájaros, Punta Norte y Punta Delgada, donde es posible observar orcas, delfines, toninas, guanacos, maras, zorros, ñandúes, y diversas clases de aves marinas. En Punta Tombo, al sur de la ciudad de Trelew, se asienta la mayor concentración continental de pingüinos magallánicos con una población que reúne a más de 200.000 parejas reproductoras.

The Patagonian Coast
and the Valdés Peninsula

To discover the wild magnetism of this setting is to approach nature as part of the adventure and to understand the essence of life in our planet. Different experiences can be lived along the patagonian coast in one of the biggest marine fauna reservoirs of the world.

Puerto Madryn in the Chubut province is the most important tourist center of the region and the starting point for almost all excursions. The Valdés Peninsula, declared Humanity Natural Patrimony by the UNESCO, is connected to the main continent by the Florentino Ameghino isthmus, and its layout is vital for the reproductive cycle of various species such as the franca austral whale, penguins, sea lions, and fur seals. The Valdés ecosystem groups up the natural reservoirs of Punta Pirámide, Punta Loma, Caleta Valdés, Isla de los Pájaros, Punta Norte, and Punta Delgada, where it is possible to spot orcas, dolphins, toninas, guanacos, maras, foxes, rheas, and diverse classes of marine birds. At Punta Tombo, to the south of Trelew, the biggest concentration of magellanic penguins is found with a population of 200,000 reproductive couples.

*La geografía de
Península Valdés
conforma dos golfos,
cuyos territorios
preservan el hábitat
de especies como
el cormorán, el
lobo marino de un
pelo y el pingüino
magallánico.*

*El Faro de Punta
Delgada funciona
en Península Valdés
desde 1905 y con su
haz de luz protege
a los barcos de las
restingas.*

The Valdés
Peninsula has
two bays, whose
territories protect
the environment
for species like the
cormorant, the
south american
sea lion and the
magellanic penguin.

The Punta Delgada
lighthouse works
on the Valdés
Peninsula from
1905 and its
guidance protects
the ships from
crushing.

(Izquierda) Un cordón de sierras bajas cambia de aspecto el paisaje de la meseta patagónica, que se recorta ante el cauce del río Chubut.

(Derecha) Tejedora mapuche junto a su telar.

© Andrés Pérez Moreno

(Left) A low mountain range changes the patagonic plateau background aspect. That cuts itself in front of the Chubut river bassin.

(Right) Mapuche weaver next to its loom.

Kayak por las agitadas aguas del río Chimehuin, provincia de Neuquén.

Kayak in the furious Chimehuin river water, Neuquén province.

❖

(Arriba) Lago Huechulafquen, Parque Nacional Lanín. (Abajo) Vista del Lago Moquehue, Neuquén.
(Arriba derecha) Extrañas formaciones rocosas en Los Bolillos, en Neuquén. (Abajo derecha) El volcán Lanín, en la provincia de Neuquén, posee una altura de 3.776 m.

◈

(Previous Above) Huechulafquen Lake, National Park Lanín. (Previous Bellow)Lake Moquehue view, Neuquén province.
(Above) Strange rocky formations in The Bolillos, Neuquén province. (Bellow) The Lanín volcano, in the province of Neuquén, has 12,388 feet.

© Andrés Pérez Moreno

(Arriba) Refugio Frey, en Bariloche.

(Arriba derecha) Paraje Mapuche de Nahuel Mapi, sobre la región oeste de Neuquén.

(Abajo) Cipreses de la cordillera en el cerro Chapelco, provincia de Neuquén.

© Daniel Rodríguez

© Andrés Pérez Moreno

(Top left) Frey shelter, in Bariloche.

(Top above) Mapuche site at the Nahuel Mapi, over the wetern part of Neuquén.

(Bellow) Mountain range Cypreses on the Chapelco hill, Neuquén province.

La Trochita

Las humeantes nubes de sus máquinas representaban un símbolo de fidelidad para su gente, a pesar de la hostilidad de las tierras que atravesaba, siempre llegaba a destino. Responsable de un gran impulso económico y social en la zona, el ferrocarril significó la historia de numerosos pueblos que nacieron junto a sus vías.

En 1945 unía las localidades de Ingeniero Jacobacci –Río Negro- con El Maitén y Esquel, en Chubut. Su funcionamiento era de vital importancia en el transporte de lana, madera y abastecimiento hacia los principales centros de consumo de la región.

El apodo de "La Trochita" deriva de la distancia interna entre los rieles (trocha), de sólo 75 cm. La formación es movida por locomotoras a vapor que se desplazan a una velocidad de 45 km por hora.

Actualmente el tren realiza un trayecto turístico que une Esquel con la comunidad mapuche – tehuelche de Nahuel Pan, en un viaje que evoca las epopeyas de los primeros hombres que desafiaron la rudeza de las estepas patagónicas.

Nowadays, the train makes a tourist circuit that joins Esquel with the mapuche - tehuelche comunity from Nahuel Pan, in a trip that evoques the epic trips from the first people that defied the ruthles patagonic steppe.

The Trochita

The smoky clouds of its machinery were a sign of fidelity for its people, always reaching its destiny in spite of the hostile lands it crossed. Responsible for the great social and economic impulse of the area, this railroad made possible the foundation of numerous towns along its tracks through time.

In 1945 this train linked Ingeniero Jacobacci -Río Negro with El Maitén and Esquel, in Chubut. Its task was of vital importance for the transportation of wool and wood, and the supplying of the main settlements in the region.

The nickname "La Trochita" derives from the internal distance between the rails (called "trocha") of only 29.53 inches. The train is pulled by a steam locomotive that moves at a speed of 27.96 miles per hour.

Tierra del Fuego y Ushuaia

Desde un ocaso que durante el verano se vuelve eterno y desliza al sol lentamente sobre el filo de las montañas, hasta las interminables y estrelladas noches que bañan los crudos inviernos fueguinos, allí la naturaleza se vuelve infinita y siembra en sus suelos el misticismo de los confines del planeta.

Tierra del Fuego es la única provincia insular de la Argentina y Ushuaia, su capital, es considerada la ciudad más austral del mundo.

Entre las particularidades sociales de un pueblo gestado por el pujante esfuerzo de los inmigrantes, su historia ocupa un lugar de vital importancia entre los circuitos turísticos. El Museo del Fin del Mundo, el Yámana y el Museo Marítimo y del Presidio recrean la vida y el desarrollo de la provincia.

El Ferrocarril Austral Fueguino evoca las oscuras leyendas y los sueños de libertad de los internos de la Cárcel de Reincidentes. "El Tren de los Presos", que supo ser el medio de transporte que abastecía de leña al penal, actualmente completa un trayecto que une las afueras de Ushuaia con el Parque Nacional Tierra del Fuego.

El Parque Nacional ocupa una superficie de 63.000 hectáreas y es el único del país con costa marítima, pues su límite meridional está determinado por el canal de Beagle.

© Alejo Schatzky

Tierra del Fuego and Ushuaia

From a never ending dusk in the summer with the sun slowly sliding over the mountains' edge, to a winter bathed with infinite starry nights, nature becomes infinite seeding the soil with the mysticism typical of the lands at the end of the world.

Tierra del Fuego is the only insular province in Argentina, and its capital Ushuaia is considered the most southern city of the world.

Among the features of this town founded by the mighty efforts of immigrants, its history is of crucial importance for tourism. The End of the World Museum, the Yámana Museum, the Marine Museum, and the History Prison Museum reconstruct life and the evolution of the province.

The Southern Fueguino Railroad evokes dark stories and the freedom dreams of the interns in the Reincidentes Jail. "The Prisoners Train" that carried firewood to the penitentiary, nowadays completes a trail that joins the outskirts of Ushuaia with the "Tierra del Fuego" National Park.

The National Park occupies an area of 155,676.39 acres and constitutes the only park in the country with an ocean shore, its southern limit being determined by the Beagle channel.

La Isla de los Estados pertenece a Tierra del Fuego y está formada por tierras altas y montañosas. Al noreste de la isla, se erige el Faro de San Juan de Salvamento, que fue construido en 1884 y quedó inmortalizado en la novela de Julio Verne *El Faro del Fin del Mundo*, en su momento el más austral del planeta.

(Arriba izquierda) Una de las especies vegetales más comunes es el árbol del guindo, en las regiones más expuestas al viento es usual que adquiera una forma particular conocida como árbol bandera.

The Estados Island belongs to Tierra del Fuego and its formed of high mountain grounds. On the Northeast part of the island, the San Juan de Salvamento lighthouse was constructed in 1884 and was inmortalized by Jules Verne on the novel *The End of the World Lighthouse* for being, at that time, the farthest one to the south in the planet.

(Left above) One of the vegetal most common species is the lenga tree, in the zones more exposed to the wind is normal that it acquires a form known as flag tree.

(Arriba) Vista de la ciudad de Ushuaia y el canal de Beagle de fondo.

(Izquierda) La pesca de la centolla es una actividad de vital importancia en la economía de la isla.

(Derecha) "La Cárcel del Fin del Mundo" supo alojar hasta 1.200 reclusos, funcionó entre 1910 y 1947.

(Above) City of Ushuaia view
and the Beagle channel on the
background.

(Left) The fishing of centolla is an
important activity for the island´s
economy.

(Right) "The End of the World Jail"
had 1,200 prisioners, it worked
between 1910 and 1947.

La Antártida cubre con sus 14 millones de km² un tercio de la tierra firme del hemisferio austral. En sus territorios se establecen destacamentos y bases dedicados a la investigación científica. El continente blanco es una de las reservas naturales más importantes del mundo y su ecosistema se basa en una cantidad limitada de especies. Durante los meses estivales cruceros turísticos permiten tener vivencias únicas sobre su pálida y perpetua extensión.

The Antártida
covers, with her
8.7 million square
miles, the third
part of firm land
from the southern
hemisphere. On its
territory bases and
colonies have settled
down dedicated to
cientific investigation.
The white continent
is one of the world
most important
natural reserves and
its environment is
based on a limited
amound of species.
On the summer
time turistic cruices
provide unique
experiences over
its pale and infinite
extension.

Cuyo... desde Los Andes a la llanura

Bajo el perpetuo resguardo de la Cordillera de los Andes, extendiéndose hasta la desértica llanura pampeana, la región de Cuyo conjuga una intensa combinación de contrastes. Cumbres con nieves eternas, valles y formaciones de aspecto lunar tallados caprichosamente por el viento y la lluvia, arroyos y ríos torrentosos que encuentran quietud en cristalinos espejos de agua. Un clima que regala su mejor cara y se entrega ante las tonalidades ocres, verdes y azules de su geografía; cada una de estas características hacen de Cuyo una sociedad indisoluble entre desierto y montaña.

La Rioja, San Juan, Mendoza y San Luis conforman un territorio poblado antiguamente por comunidades diaguitas, puelches, huarpes, comechingones, olongastas y pampas, entre otros. Su nombre proviene de un vocablo aborigen que significa "país de los desiertos", aunque en la zona el ingenio del hombre, asociado directamente a la sabiduría de la naturaleza, ha obtenido de sus suelos una potencial fertilidad. Su economía está sustentada principalmente por la explotación de la industria vitivinícola.

La Ruta Nacional 40 bordea la Cordillera andina y permite la conexión con caminos que, dentro del Parque Nacional Talampaya, el Parque Provincial Ischigualasto y el Parque Nacional Sierra de Las Quijadas, inician travesías que remontan al visitante a eras prehistóricas en las que feroces dinosaurios imponían sus reglas.

Cuyo plantea una escenografía natural estupenda para la práctica de deportes extremos y turismo activo. A 180 km de la capital mendocina yace el Aconcagua, con 6.959 m de altura es el pico más alto de América y congrega cada verano a miles de andinistas que desafían a este coloso en busca de su cumbre.

El Valle de Las Leñas, ubicado en la provincia de Mendoza, es un complejo invernal con instalaciones de última generación; 40 pistas con una superficie esquiable de 3.800 hectáreas lo destacan como uno de los centros de esquí más importantes de Sudamérica.

Rafting, windsurf, kayak, buceo, pesca deportiva, montañismo, trekking, cabalgatas, travesías en 4x4, mountain bike, aladelta o parapente son algunas de las experiencias que la naturaleza le presenta a los más intrépidos. Las aguas termales invitan a un espacio para la relajación y el descanso.

Cuyo... from The Andes to the plain

With the perpetual safeguard of the Andes Mountains spreading as far as the deserted pampa plains, the region of Cuyo combines intense contrasts. Mountain tops with eternal snow, valleys and lunar-like formations crafted erratically by the wind and rain, streams, and angered rivers that find their quietness in crystalline water mirrors. A climate that offers its best side in its ocher, green, and blue geological tones. Doubtless to say that each of these characteristics make Cuyo an eternal region between the mountains and the desert.

The provinces of La Rioja, San Juan, Mendoza, and San Luis combine a territory formerly populated by the diaguitas, puelches, huarpes, comechingones, olongastas, and pampas native communities among others. "Cuyo" comes from a native word that means "desert country", although human wit directly linked with nature's wisdom has led to the obtainment of potentially fertile soil. In addition to an important tourist infrastructure, the economy is principally based on the wine industry.

The National Route 40 borders the Andes mountain range and connects with roads that run through the Talampaya National Park, the Ischigualasto Provincial Park and the Quijadas Mountains National Park, constituting the starting point of journeys that take the visitor back to times when ferocious dinosaurs imposed their rules.

Cuyo offers an ideal natural stage for the practice of extreme sports and tourism. 111.85 miles away from the capital of Mendoza, the Aconcagua peak with its 22.831,36 feet of height, stands as the highest mountain in America which each summer assembles thousands of climbers from all over the world who try to defy this giant with the hope of reaching its summits.

The Las Leñas Valley, located in the Mendoza province, is a ski resort with top notch technology; 40 tracks spread over a 9.390,00 acre surface set it out as one of the most important ski centers in South America.

Rafting, windsurfing, kayaking, diving, fishing, climbing, trekking, horse riding, special vehicle safaris, mountain bikes, and gliding are some of the experiences nature offers to the intrepid types. Thermal waters provide a space for a well-deserved break and relaxation time.

"El Hongo", en el Valle de la Luna. Es una de las formaciones que le otorgan al sitio su particular aspecto.

The Fungus, in the Moon Valley. Is one of the formations that give its particular appearance to the place.

Detalle de una pared rocosa, coloreada por la acción de los minerales en el Parque Nacional Talampaya, La Rioja.

Rocky wall detail colored by the mineral action in the Talampaya National Park, La Rioja.

Valle de La Luna, Talampaya, Sierra de las Quijadas

El Parque Provincial Ischigualasto, que en lengua quechua significa "sitio donde se posa la luna", se sitúa al noreste de la provincia de San Juan, cerca de la localidad de San Agustín del Valle Fértil, y abarca una superficie total de 63.000 hectáreas. En tierras riojanas, pero compartiendo una cuenca de 5.000 km² con Ischigualasto, el Parque Nacional Talampaya ocupa 215.000 hectáreas. Juntos representan uno de los yacimientos arqueológicos y paleontológicos más importantes del mundo, resguardando hallazgos de incalculable valor científico para la humanidad. La región atesora restos fósiles desde la era Mesozoica, de aproximadamente 230 millones de años de antigüedad.

En el sitio se observan trozos de árboles petrificados y extrañas formaciones rocosas de insólitos nombres como el Submarino, el Gusano o el Hongo, cuyas fisonomías fueron esculpidas por la milenaria erosión eólica. Distorsionados entre profundos cañones, extensos valles y paredones de hasta 150 m de altura, enigmáticos grabados insinúan la vida del hombre que hace miles de años pobló el lugar. El Parque Provincial Ischigualasto y el Parque Nacional Talampaya conforman una sucesión completa del período Triásico única en el planeta, esta particularidad motivó a la UNESCO a otorgarles el carácter de Patrimonio Natural de la Humanidad en el año 2000.

Al noroeste de la provincia de San Luis, el Parque Nacional Sierra de Las Quijadas se extiende a lo largo de 150.000 hectáreas, donde el agua y los vientos cavaron entre las sierras una abismal cuenca denominada Potrero de la Aguada; sus acantilados, paredes y precipicios superan los 200 m de altura. La superposición de arenas y fangos solidificados generan su fuerte coloración rojiza.

El paisaje se presenta salvaje y a él se han adaptado diversas formas de vida, su fauna autóctona preserva aves como el cóndor, el águila coronada, horneros y loros barranqueros que conviven y sobreviven entre pumas, zorros grises, guanacos, armadillos, vizcachas, lagartijas y víboras. La vegetación del monte es representativa por su escasez, enormes algarrobos generan la codiciada sombra ante los rayos del sol, mientras que el jarillal, los cactus y el muérdago dan lugar a un suelo más ralo.

Moon Valley, Talampaya, Quijadas Mountains

The Ischigualasto Provincial Park, that in the quechua tongue means "place where the moon settles", is located in the North East of the San Juan province near the San Agustín del Valle Fértil town and covers a surface of 155.676,39 acres. In lands of the La Rioja province, but sharing a 3.106,86 square mile basin with Ischigualasto, the Talampaya National Park extends over 531.276,57 acres. Both parks represent one of the world's most important archeological and paleontological locations, protecting precious scientific findings for humankind. The region accumulates 230 million fossil remains from the Mesozoic era.

In the site, petrified trees and strong rock formations can be found with strange names such as the Submarine, the Worm, or the Fungus, the carving of which resulted from aeolian erosion. Distorted among deep canyons, extensive valleys, and walls of heights reaching 492,13 feet, enigmatic carvings insinuate human life thousands of years ago. The Ischigualasto Provincial Park and the Talampaya National Park conform a complete legacy from the Triassic Period unique in the planet, motivating the UNESCO to grant these parks the title of Mankind Natural Patrimony in the year 2000.

In the northwest of the San Luis province, the Quijadas Mountains National Park spreads along 370.658,07 acres where water and wind carved between the mountains an abysmal river basin called Potrero de la Aguada, the cliffs, walls, and precipices of which surpass a height of 656.17 feet. The superposition of sands and mud generates a strong reddish tone.

The setting appears wild and a assorted life forms have adapted to this environment, the native fauna of which preserves birds like the cóndor, eagle, hornero, and dark brown parrot coexisting with pumas, gray foxes, guanacos, armadillos, vizcachas, small lizards, and snakes. The mount's vegetation is scarce and enormous carob trees generate a needed shady spot from the sun, while the jarillal, cactus and mistletoe give place to a dryer soil.

Cabalgata por el cerro Campanario, en la porción mendocina de la Cordillera de los Andes.

(Abajo) Las aguas del río Mendoza presentan distintos grados de dificultad para la práctica de rafting.

(Derecha) Los hielos del glaciar Italia, en Mendoza, son terrenos excelentes para los amantes del trekking.

© Andrés Pérez Moreno

(Above) Horse riding along the Campanario hill, in the Mendoza´s portion of the Andes mountains.

(Right) The Mendoza river waters present different levels of difficulty for rafting.

(Next) The Italia glacier ice in Mendoza, is an exellent terrain for trekking lovers.

© Andrés Pérez Moreno

(Arriba) La cara noroeste del Aconcagua es la ruta más accesible para los montañistas que buscan conquistar su cumbre.

(Izquierda) El Paso Agua Negra, en San Juan, es uno de los caminos que une Argentina con Chile.

(Derecha) Los flamencos son una de las tantas especies que habitan la laguna Llancanello en la localidad de Malargüe, Mendoza.

© Andrés Pérez Moreno

(Above) The northwest face of the Aconcagua is the more accesible rout for climbers that try to reach the top.

(Left) The Passage Agua Negra, in San Juan, is one of the roads that joins Argentina and Chile.

(Right) The flamencos are one of the species that live in the Llancanello lagoons in Malargüe, Mendoza.

© Andrés Pérez Moreno

La ruta del vino

Entregarse con los sentidos dispuestos a deleitarse con cada sabor, cada textura y con los aromas de un buen vino es un placer tan simple como complejo, que toda persona debe experimentar en algún momento de su vida. Las uvas, la madera, el agua, el sol y el viento se asocian a la tecnología del hombre y conceden, desinteresadamente, las bondades de la tierra en vinos sensuales y complacientes. Se trata del arte de transformar lo que la naturaleza nos regala y de comprender las raíces y el espíritu de un paisaje.

Cuyo es la región vitivinícola más importante de Sudamérica y transitar los caminos del vino significa descubrir las costumbres y la tradición viñatera de cada provincia. La Cordillera protege los campos de las fuertes corrientes y sus nieves alimentan los sistemas de riego que bañan los perfumados viñedos. Mendoza es la octava Capital Mundial del Vino y ha hecho de la vid su principal industria, allí se celebra la Fiesta Nacional de la Vendimia; su variedad más emblemática es el Malbec.

La provincia de San Juan es líder en la producción de vinos de mesa, con una alta competitividad en el mercado internacional. Además los rosados y blancos como Chardonnay, Chenin, Pinot blanco y Semillón se destacan notoriamente por sobre los tintos, entre los que aparecen el Cabernet Sauvignon, el Merlot y el Syrah.

En la provincia de La Rioja el Torrontés se presenta más rústico y directo en sabor y olfato que otros torronteses, la Bonarda es la variedad tinta más cultivada, de la que se obtiene un producto simple, ideal para el consumo rápido.

Las visitas guiadas a modernas bodegas boutique o a otras más pequeñas y artesanales, permiten conocer el delicado recorrido de la uva desde el viñedo hasta la botella. Las salas de degustación y los cursos de cata marcan el ansiado momento de descubrir las diferencias de cada varietal. Algunas bodegas ofrecen propuestas gastronómicas y las más importantes cuentan con alojamientos, galerías de arte y hasta museos que exhiben elementos relacionados con la actividad y narran la historia enológica del país.

The wine trail

Giving in to temptation with the senses ready for being delighted with every flavor, the texture and aroma of a good wine is a pleasure just as simple as complex, which every single person should try at least at some point of life. The grapes, water, wood, wind, and sun join together with human technology resulting unconcernedly in a reward from the earth turned into sensual and fine wines. It is all about the art of transforming what nature gives and understanding the roots and spirit of the countryside.

Cuyo is the most important wine producing area of South America and following the wine trail means discovering the custom and vineyard tradition of every province. The Andes Mountains protect the fields from the strong winds and the snow melts filling the irrigation systems that water the perfumed vineyards. Mendoza is the eighth wine capital of the world and has made grapevine its main industry. There, the Argentine Vendimia Party is held and the most emblematic variety of wine is the Malbec.

The San Juan province leads wine production, competing in international markets. In addition, the pink and white wines such as the Chardonnay, Chenin, White Pinot, and Semillón stand out over the red ones, among which we find the Cabernet Sauvignon, Merlot and Syrah.

In the La Rioja province we find a more rustic and basic taste, that is known as Torrontés wine. The Bonarda constitutes the most cultivated red variety, from which a simple but ideal product for quick consumption is obtained.

The guided visits to modern boutique wine cellars or to smaller and more artistic ones let the visitor observe the grapes' trail from the vineyard to the bottle. The tasting rooms and courses mark the longed for moment when each type of wine is discovered. Some wineries offer gastronomic options and the most important ones even have hotel rooms, art galleries, and museums with elements related to the viniculture activity and the history of the Argentine enology.

*La recolección
de la cosecha
de los viñedos
requiere especiales
cuidados y
se realiza
manualmente
entre los meses de
enero y marzo.*

The harvesting
from the
vineyards
requires
special
cares and
its manually
done between
january and
march.

© Andrés Pérez Moreno

*Las bodegas implementan
modernas tecnologías, que al
fusionarse con la madera de
las barricas de roble ofrecen
vinos de altísimo nivel.*

The wine cellars use
modern technology that
when mixed whith the
barrels wood offer high
quality wines.

© Andrés Pérez Moreno

© Andrés Pérez Moreno

Las calles del interior de La Rioja aún conservan el mágico encanto de pueblos en los que el tiempo parece haberse detenido para siempre.

The streets of La Rioja still have the magical charm from towns lost in time.

© Andrés Pérez Moreno

La galeria del paraje "El Chinguillo", en San Juan, refleja la arquitectura de los poblados que se levantan a los pies de la Cordillera.

"El Chinguillo" gallery, in San Juan, reflects the town architecture form the Andes settlements located at its feet.

(Arriba) Vista panorámica del Parque Nacional Talampaya, en La Rioja.

(Derecha) En el Dique Cuesta del Viento, provincia de San Juan, las ráfagas alcanzan velocidades de hasta 80 km por hora.

(Right) National Park Talampaya panoramic view in La Rioja.

(Above) At the "Cuesta del Viento" dock, San Juan province, the wind reaches speeds up to 50 miles per hour.

© Andrés Pérez Moreno

(Izquierda) El Valle Colorado, en medio de la cordillera sanjuanina, está formado por cinco cumbres de más de 6.000 m de altura.

(Arriba) Aguas termales de Sonseado, Mendoza.

(Abajo) La mina El Cóndor constituye parte del gran desarrollo económico de la provincia de San Luis.

(Left) The "Colorado Valley", in the middle of the Andes San Juan portion, is formed by five mountain peaks of more than 19,685 feet each.

(Above) Thermal waters at Sonseado, Mendoza.

(Bellow) The "El Cóndor" mine plays an important part in the economic development of the San Luis province.

© Andrés Pérez Moreno

Noreste y Mesopotamia

Sus ríos encierran culturas y creencias que resisten al ávido paso del tiempo, indescifrables laberintos selváticos que desbordan vida y color, dando pelea a la indiscriminada acción del hombre. Rojizos caminos que se pierden en medio de saltos, esteros y el reino de la yerba mate. Armoniosamente, en la Mesopotamia se gesta el enlace perfecto entre el agua y la tierra.

Su geografía agrupa a las provincias de Misiones, Corrientes, Entre Ríos, Santa Fe, Chaco y Formosa. El territorio es esencialmente llano y presenta un clima de características subtropicales. Los ríos Paraná, Uruguay, Pilcomayo, Bermejo y Paraguay generan con sus numerosos afluentes importantes recursos y favorecen una economía relacionada con la industria agrícola y la explotación forestal.

El atractivo principal de la región son las Cataratas del Iguazú, capaces de transmitir con el asombroso rugir de sus cascadas y el misterioso paisaje de sus selvas, sensaciones tan inexplicables como mágicas; han sido catalogadas como una de las maravillas del mundo.

Sobre una porción más austral del Litoral, los Esteros del Iberá representan el segundo humedal más grande de Sudamérica y una de las reservas de agua dulce más importantes del mundo. Su enmarañada trama de lagunas, esteros y bañados constituyen un refugio de vida silvestre de extraordinaria complejidad.

La historia misma de los pueblos del noreste argentino se forjó en base a profundos sentimientos de fe religiosa ligados a la época de la colonización. El Circuito Internacional de las Misiones Jesuíticas propone un viaje fascinante que descubre las riquezas de la magnífica etapa evolutiva que fusionó las culturas guaraníes con las corrientes evangelizadoras españolas.

La Virgen de Itatí y el Gauchito Gil simbolizan las imágenes más representativas de una fuerte devoción por el cristianismo y por las creencias populares.

Las comunidades indígenas mantienen con fuerza sus raíces y los testimonios de ancestrales costumbres, en numerosos poblados que se extienden a lo largo del Impenetrable chaqueño y de tierras formoseñas. Más de 40.000 aborígenes entre tobas, wichís y pilagáes, conservan la herencia espiritual de sus sociedades, respetando las antiguas normas de organización.

The northeast and Mesopotamia

The rivers in this region withhold long lost cultures and principles, and also scrawled jungles that overflow with life and color, fighting against the indiscriminate action of mankind. Red trails loose themselves in jumps, estuarie, and the yerba mate (tea mate) kingdom. In the Mesopotamia, a perfect relationship between water and earth is originated.

Its geography includes the provinces of Corrientes, Misiones, Entre Ríos, Santa Fe, Chaco, and Formosa. Its territory is essentially flat and presents a subtropical climate. The Paraná, Uruguay, Pilcomayo, Bermejo, and Paraguay rivers with their respective affluent streams are important resources for the area and contribute to the agricultural and lumbering industries.

The main attraction of the area are the Iguazú Falls, which are capable of transmitting strange and magical sensations with the amazing roar of their cascades and the mysterious scenery of their forests. These falls have been catalogued as one of the world's wonders.

Over a more southerner portion of the shore, the Iberá Estuaries represent the second greatest humedal in South America and one of the most important fresh water reserves in the world. Its entangled lagoons and swamps constitute a highly complex refuge for wildlife.

The history of the northwestern towns was based on religious feelings linked to the colonization period. The Jesuit Missions International Circuit offers a fascinating trip to discover the magnificent richness of the evolution period during which the guaraní way of life merged with the Spanish traditions.

The Itatí Virgin and the Gauchito Gil both symbolize the strong catholic devotion and the cultural principles.

The native communities cling on with great force to their roots and ancestral societies in numerous towns extended all over the Impenetrable chaqueño and grounds of the Formosa province.

More than 40.000 natives among the tobas, wichís, and pilagáes populations, preserve the spiritual heritage of their traditions, respecting the old forms of organization.

Los gauchos correntinos, conocidos como "menchos", son excelentes jinetes, virtuosos en el manejo del lazo y en la doma.

The Corrientes gauchos, also known as "menchos" are excellent riders, virtuosos on the lasso use and in native rodeos (la doma).

(Arriba) Laguna Blanca en el Parque
Nacional Río Pilcomayo, Formosa.

*Los lugareños fabrican las
embarcaciones que utilizan para
desplazarse con troncos que ellos
mismos ahuecan.*

*(Derecha) Una canoa atraviesa los
canales que la vegetación forma en el
arroyo El Palmar, provincia de Entre Ríos.*

© Andrés Pérez Moreno

© Andrés Pérez Moreno

(Above) "Laguna Blanca" in the National Park Pilcomayo, Formosa province.

(Previous) The native inhabitants create the boats they use from tree trunks.

(Left) A canoe goes through the channels that vegetation forms in the stream "El Palmar", Entre Ríos province.

© Andrés Pérez Moreno

Esteros del Iberá

Allí la tierra firme se diluye entre bañados, lagunas y riachos. Es un gigantesco cenagal que esconde con profundidad los sentidos, sonidos y silencios de la vida en su estado más salvaje. Los Esteros del Iberá, con una extensión de 1.400.000 hectáreas, son un depósito de agua estancada de origen pluvial que atraviesa la provincia de Corrientes en dirección noreste-sudoeste, como remanente del viejo curso del río Paraná. Las lluvias aportan cerca de 1.500 mm anuales que Iberá regula a modo de represa, derivando un 20 por ciento al Paraná a través del río Corriente.

Esta gran reserva acuática, con una profundidad que oscila entre 1 y 3 m, brinda el espacio propicio para la evolución de un gran ecosistema. La zona se enriquece con la presencia de una flora autóctona de extraordinaria abundancia, árboles como el lapacho, el laurel, el ceibo y el sauce se integran a las dos clases de plantas que subsisten en sus aguas. Están las que se originan en el fondo, formando pajonales junto a las costas, y las que cubren la superficie como los embalsados y camalotes. Es común encontrar allí lentejas, repollitos, irupés, lirios y jacintos del agua. La fauna está compuesta por monos carayá, yacarés, ciervos de los pantanos, carpinchos, lobitos de río, víboras yarará, boas curiyú y más de 300 especies de aves. Entre los cardúmenes que habitan los Esteros se hallan tarariras, dientudos, bogas, anguilas y sábalos.

The Iberá Swamp

In this place, the firm ground is diluted by lagoons and rivulets. It is a gigantic marsh that hides the senses, sounds, and silences of life in its most wild state. The Iberá Swamp, with an extension of 3,459.475.34 acres, is a rainwater deposit that runs through the Corrientes province from the northeast to the southwest, as a remain of the old Paraná river course. The rainfall adds up 59.0551 inches per year, which the Iberá contains as a dam sending 20% of this total water to the Paraná river.

This great water reserve, with a depth ranging between 13.12 and 9.84 feet, constitutes the perfect place for the evolution of a great ecological unit. The area is enriched by the presence of plentiful extraordinary flora; trees like the lapacho, laurel, ceibo, and willow integrate with the two types of plants that subsist in the water. Among these two are those that originate in the river bottom forming different grasses, and those that cover the surface such as the embalsados and camalotes. It is usual to find lentils, small cabbages, irupés, irises, and jacintos del agua. The fauna is composed of carayá monkeys, yacarés (alligators), swamp deers, carpinchos, small river wolfs, yarará snakes, cariyú boas, and more than 300 bird species. Among the fish shoals that live in the swamps, the tararira snake, dientudo, boga, eels, and sábalo species are found.

© Andrés Pérez Moreno

(Izquierda) Fruto de mamón o papaya.

(Centro) Corrales de la Estancia San Pedro, propiedad de la Familia Urquiza, provincia de Entre Ríos.

(Derecha) El árbol espina corona es una especie típica del monte chaqueño.

© Andrés Pérez Moreno

(Left) Papaya fruit.

(Middle) Corrals from the Estancia San Pedro, property of the Urquiza´s family, Entre Ríos province.

(Right) The "Espina Corona" tree is a typical species from the Chaco´s mount.

© Ricardo Ceppi

© Andrés Pérez Moreno

Las tradiciones del noreste argentino son una imagen fiel de su gente, reflejada en sus gauchos, su música y sus artesanías.

The Northwest argentinean traditions are a faithful image of its own people, reflected in their gauchos, their music and their crafts.

© Andrés Pérez Moreno

(Arriba) El Palacio San José
-en Entre Ríos- fue la
residencia privada del General
Justo José de Urquiza, primer
presidente constitucional
argentino.

(Derecha) En la provincia de
Entre Ríos, el Parque Nacional
El Palmar conserva densas
poblaciones de palmeras Yatay
con ejemplares de más de
300 años.

(Above) The San José Palace,
Entre Ríos, was the first
private property of the
General Justo José de Urquiza,
the first constitutional
argentine president.

(Right) In the Entre Ríos
province, the National Park
El Palmar keeps its heavy
populations of Yatay palm
trees with more than 300
years old trees.

Cataratas del Iguazú

Las aguas trepan y se dejan caer desde lo alto, se entregan ante la inmensidad de un escenario que explota de vida y energía; las Cataratas revelan los sabios secretos de la naturaleza en imágenes de infinita belleza. Situadas en territorios del Parque Nacional Iguazú, en el extremo norte de la provincia de Misiones, derivan de las ramificaciones producidas por grupos de islas y afloramientos rocosos sobre el cauce del río Iguazú, que al encontrarse en la superficie con un desnivel de 70 m precipita abruptamente sus aguas en imponentes cascadas, conformando un amplio abanico de 2.7 km de extensión. Según el caudal que el río arrastre es posible admirar unas 275 caídas con un promedio calculado en 1.500 m³ de agua por segundo.

La Garganta del Diablo es, sin dudas, el salto más impactante. A gran distancia pueden apreciarse las densas nubes de rocío que generan la aterradora fuerza y el infinito torrente de esta herradura de 80 m de altura. Se accede a través de un recorrido de pasarelas que se interna dentro del colorido paisaje selvático y desemboca en la monumental Garganta. El Circuito Inferior y el Superior regalan perspectivas diferentes y permiten un contacto más íntimo con las Cataratas, desde sus miradores se observan los saltos Bossetti, San Martín, Dos Hermanas, Adán y Eva, Alvar Núñez y el Unión, entre otros.

El Parque Nacional, declarado Patrimonio Natural de la Humanidad, crea un hábitat único para el desarrollo de especies animales y vegetales, constituyendo la región de mayor diversidad biológica del país. Entre las variedades de aves que habitan la zona se encuentran vencejos de cascada, tucanes, loros, picaflores, garzas y pájaros carpinteros. El yaguareté, el coatí, el coendú, el yacaré, el mono caí, la corzuela, la lagartija, el oso melero y los insectos se expresan en medio de un ambiente tan puro como primitivo. La flora se reparte entre los diferentes estratos de vegetación, se pueden ver árboles como el palo rosa, el yvyrá-pitá, el ambay, el lapacho negro, el pindó y el cupay. También crecen bambúes, plantas frutales y helechos.

Iguazú Falls

The waters rise and fall from the summits, giving in with an immense background that explodes with life and energy. The falls reveal nature's wisdom in infinitely beautiful images. Located within the boundaries of the Iguazú National Park, in the northern area of the Misiones province, these falls derive from the ramifications caused by divided islands and rocky formations found on the Iguazú river, meeting an abrupt vertical drop of 229.66 feet causing the water to precipitate in huge jumps over a 1.68-mile spectrum. Depending on the volume of the water in the river, it is possible to admire 275 falls with an average of 4,921.26 cubic feet of water dropping per second.

The Garganta del Diablo is, with no doubts, the most impressive jump. From a great distance, the clouds of dew generated by its terrifying force and the endless 262.47 feet high water torrent can be seen. To get to the site, a footbridge has been set up penetrating into the colorful forest landscape and ending at the monumental Garganta. The Inferior and the Superior Circuits show different perspectives and offer a more personal contact with the falls. From their viewpoints the Bossetti, San Martín, Dos Hermanas, Adán y Eva, Alvar Núñez and the Unión Jumps, among others can be seen.

The National Park, declared Humanity Natural Patrimony, creates a unique environment for the development of animal and plant species, thus constituting the most biologically diverse region of the country. Among the bird varieties that inhabit the area, we find the cascade billhooks, toucans, parrots, hummingbirds, herons, and woodpeckers. The Yaguareté (puma), coatí, coendú, yacaré (alligator), caí monkey, corzuela, lizards, melero bear, and insects express themselves in a primitive and pure atmosphere. The flora is divided among the different vegetation layers; trees such as the palo rosa, yvyrá pitá, ambay, black lapacho, pindó, and cupay can be observed. Bamboo fruit plants and ferns are also found.

Durante las noches de luna llena, es posible recorrer las pasarelas de la Garganta del Diablo y contemplar la luz de la luna reflejándose sobre las encantadas aguas.

On the full moon nights it is possible to walk through the Garganta del Diablo footbridges and to contemplate the moon reflection on the enchanted waters.

Vista aérea parcial de las Cataratas del Iguazú.

Iguazú Falls aerial partial view.

(Izquierda) Mono carayá o aullador.

(En esta página arriba) Carpincho.

(En esta página abajo) Ciervo de los pantanos.

(En la página siguiente) Garza mora.

(Derecha arriba) Tucán grande.

(Derecha abajo) Guacamayo.

(Previous left) Brown Hawler Monkey.

(Previous top left) Capybara.

(Previous lower left) Marsh Deer.

(Left) Mora Heron.

(Top right) Big Toucan.

(Lower right) Macaw.

Fachada de las ruinas de la Iglesia de San Ignacio Miní.

(Derecha) El color rojizo de los suelos de la región responde a la presencia de laterita, un mineral con gran contenido de óxido de hierro.

(Above) Facade from the San Ignacio Miní church.

(Right) The ground redish color of the area is due to the laterita prescence in the soil, a mineral with a high percentage of iron oxide.

Noroeste... la tierra de la Pachamama

Bajo intensos cielos azules, el sol sumerge sus rayos entre las siluetas de valles, quebradas y montañas, tiñendo el paisaje de cálidos colores. Cansinos pueblos de adobe encierran un pasado de culturas ancestrales y, dando pelea al tiempo, se aferran a sus costumbres. Allí, donde se fusionan las huellas del tiempo de la Conquista con los vestigios de imperios incaicos, la naturaleza se brinda complaciente ante la Pachamama (*): la Madre Tierra. En el noroeste argentino, que comprende las provincias de Jujuy, Salta, Catamarca, Tucumán y Santiago del Estero, se contraponen diferentes alternativas geográficas. La franja oeste es territorio de los majestuosos Andes y de la Puna, ubicada a 3.500 m sobre el nivel del mar, integra una zona dirimida a lo largo de las elevaciones y ondonadas de sus agrestes terrenos, volcanes imponentes, blanquísimos e interminables mares de sal, lagunas y recónditas poblaciones en las que todavía se hablan lenguas aborígenes. Sobre la porción centro-norte se extiende la selva subtropical de Yungas, un inmenso bioma desarrollado en una región montañosa, que se divide de acuerdo a las diversas altitudes de su flora. En el centro-sur coexisten fértiles valles con desérticas sierras tapizadas por una alfombra de cardones; los Valles Calchaquíes conforman una gran depresión geológica longitudinal surcada por los ríos Calchaquí y Santa María. Las pequeñas capillas desparramadas sobre el verdor de sus tierras provocan una calma existencial que se contagia inexplicablemente. Hacia el este el Chaco Seco marca los límites con la densidad de sus montes.

Donde los cerros transforman su color según el momento del día, la Quebrada de Humahuaca se despliega como una pintura sobre suelos jujeños. Esta enorme hendidura labrada al antojo del medio ambiente fue declarada Paisaje Cultural de la Humanidad por la UNESCO.

El Tren a las Nubes es una suerte de milagro ferroviario que parece suspenderse en el aire ante abismales precipicios. A 4.200 m de altura, su formación se cuela bajo el increíble manto de la Cordillera de los Andes y de las mesetas salteñas, enseñando el verdadero espíritu del Altiplano.

(*) *Denominación quechua que recibe la Tierra, concebida como persona, por los pueblos indígenas de los Andes.*

The Northwest... Land of the Pachamama

Under intense blue skies, the sun plunges its rays between valley silhouettes, gorges and mountains, dyeing the landscape with warm colors. Tiresome adobe towns that engulf a past of ancestral cultures fight against time, clinging to their own customs. There, where the conquistadores' tracks and the incaic empires merge as a whole, nature gives itself to the Pachamama (*): the Mother Earth. In the Argentinean Northwest, which includes the provinces of Jujuy, Salta, Catamarca, Tucumán, and Santiago del Estero, contrasting geographic alternatives are found. The western strip of this territory belongs to the majestic Andes and to the Puna, located at 11,482.94 feet above sea level, which encloses an area that extends itself throughout elevations and depressions of rustic lands, imposing volcanoes, white and never ending salt seas, lagoons and lost towns where Native Indian languages are still spoken. Over the north-center portion, the Yungas subtropical forest, an immense biome developed in a mountainous region, extends itself and is subdivided according to the different heights of its flora. In the center-south area, fertile valleys and desert mountains covered with a teasel carpet coexist; the Calchaquíes Valleys form a great longitudinal geologic depression furrowed by the Calchaquí and Santa María rivers. The small chapels scattered over these green lands convey an amazingly contagious calmness. Towards the east, the Chaco Seco marks the boundaries with the density of its mounts.

Where the hills transform their colors according to the time of the day, the Gorge of Humahuaca unfolds itself like a painting over the lands of Jujuy. This enormous fissure which was a product of the environment's free will, was declared a Humanity Cultural Landscape by the UNESCO.

The Clouds Train is a railway miracle that seems to be suspended in the air over abysmal ravines. At a height of 13.779,53 feet, its tracks strain under the incredible veil of the Andes mountain range and the salteña plateau, thus showing the true spirit of the Altiplano.

(*) **Pachamama:** *Quechua denomination for the Earth, conceived as a person by the indigenous Andes towns.*

Los cerros que enmarcan la Quebrada de Humahuaca resguardan la cultura de pueblos donde aún se rastrean las huellas del pasado.

The hills that naturally frame the Humahuaca´s Gorge protect the town's traditions where history tracks can still be found.

Quebrada de Humahuaca

Su horizonte parece haber escapado de la mente de un gran artista, pero sólo la inspiración de la naturaleza sería capaz de crear una obra de tan absoluta belleza. En la Quebrada de Humahuaca el hombre aprendió a respetar y a cuidar su tierra, generando ese vínculo estrecho entre quien vive y quien da vida.

El río Grande acompaña sus 135 km de longitud, mientras la Ruta 9 encadena los poblados que integran sus magníficos paisajes. La Quebrada constituye un excepcional refugio arqueológico que se traduce a través de una historia que abarca las comunidades aborígenes y sus pinturas rupestres, las vías de acción entre importantes ciudades desarrolladas en la etapa prehispánica y las tareas de colonización religiosa española, de las que aún se conservan numerosas iglesias.

Iniciando el camino desde San Salvador de Jujuy, luego de atravesar la localidad de Volcán, con sus ríos color lava, y de compartir en Tumbaya la esencia de un pue-blo con poco más de 200 habitantes, Purmamarca es uno de los sitios más atrayentes de la zona, que bajo el maravilloso marco del Cerro de los Siete Colores mantiene intacta su apariencia desde el siglo XIX. Más al norte, Maimará continúa aportando color al escenario con una formación de cerros denominada "la paleta del pintor". Tilcara es la Capital Arqueológica de la Provincia de Jujuy y el lugar donde se levanta el Pucará, una antigua fortaleza indígena construida estratégicamente para tener control sobre gran parte del valle. Huacalera y Uquía son los pueblos que anteceden a la ciudad que da nombre a la Quebrada. Humahuaca fue uno de los principales centros de comercio del Alto Perú; el Museo de Arqueología y el Folklórico Regional demuestran el compromiso de la región por mantener vivo su pasado. Los parajes de Iturbe y Tres Cruces representan los últimos escalones de la travesía y sus matices anuncian el final de la Quebrada.

© Andrés Pérez Moreno

The Humahuaca's Gorge

This landscape's horizon seems to have escaped from the mind of a great artist, however only nature's inspiration would result in such a beautiful masterpiece. On the Humahuaca's Canyon man learned to respect and look after his own land, generating a tight bond between he who gives life and he who lives.

The Grande River goes along the 83.89 miles this canyon runs, while Route 9 links the towns that form this magnificent landscape. The ravine constitutes an exceptional archeological refuge that translates itself throughout history, which includes native communities and their cave paintings, action roads between important cities developed during the pre-Hispanic period and the Spanish Missions, numerous churches of which are still conserved.

Initiating the way from San Salvador de Jujuy, after crossing the Volcano settlement with its lava colored rivers, and after sharing at Tumbaya the essence of a town with no more than 200 residents, Purmamarca is one of the most attractive cities of the region located within the wonderful frame of the Seven Colors Hill, which maintains its appearance intact since the XIX century. Further to the north, Maimará keeps on adding color to the scenery with the "painter trowel" hill formation. The Archeological Capital of the Jujuy province is Tilcara and it is the place where the Pucará –old native fortress- rises, which was strategically constructed to gain control over the main part of the valley. Huacalera and Uquía are the towns that precede the city that gives its name to the gorge. Humahuaca constituted one of the Alto Perú commerce centers. The region's commitment to maintain its past alive is reflected at the Archeology Museum and the Regional Folkloric Museum. Iturbe and Tres Cruces represent the final stage of this long journey, and their different shades announce the end of the gorge.

© Andrés Pérez Moreno

© Alejo Schatzky

(Arriba) *Durante el Carnaval de Humahuaca el diablo, con máscaras y coloridos disfraces, es quien conduce los festejos.*

(Izquierda) *Fiesta de los Gauchos Güemes, ciudad de Salta.*

(Derecha) *La Señalada de animales, en Jujuy, pide a la Pachamama por una buena y abundante reproducción de animales durante todo el año.*

(Above) During Humahuaca´s Carnival, the devil, with masks and colorful disguises, is the one who leads the parties.

(Left) Celebration of the Güemes Gauchos, Salta City.

(Right) The animals marking in Jujuy, prays to the Pachamama for a good and abundant animal reproduction throughout the year.

© Ricardo Ceppi

© Andrés Pérez Moreno

(Arriba izquierda) Capilla de Antonio de los Cobres, Puna Salteña.

(Arriba) Cabildo de la ciudad de Salta.

(Arriba derecha) Iglesia de San Francisco en la capital salteña.

(Abajo izquierda) Iglesia de San José de Cachi en los Valles Calchaquíes, Salta.

(Abajo derecha) Campanario de iglesia en Santiago del Estero.

(Top Left) "San Antonio de los Cobres" chapel, Puna Salteña.

(Above) Salta´s City town Hall.

(Top right) San Antonio´s church at the Salta´s capital.

(Lower left) "San José de Cachi" church in the Calchaquíes Valleys, Salta.

(Lower Right) Santiago del Estero church bell tower.

Antiguas campanas de una capilla en el pueblo de La Poma, Salta.

Old bells from a chapel at La Poma, Salta.

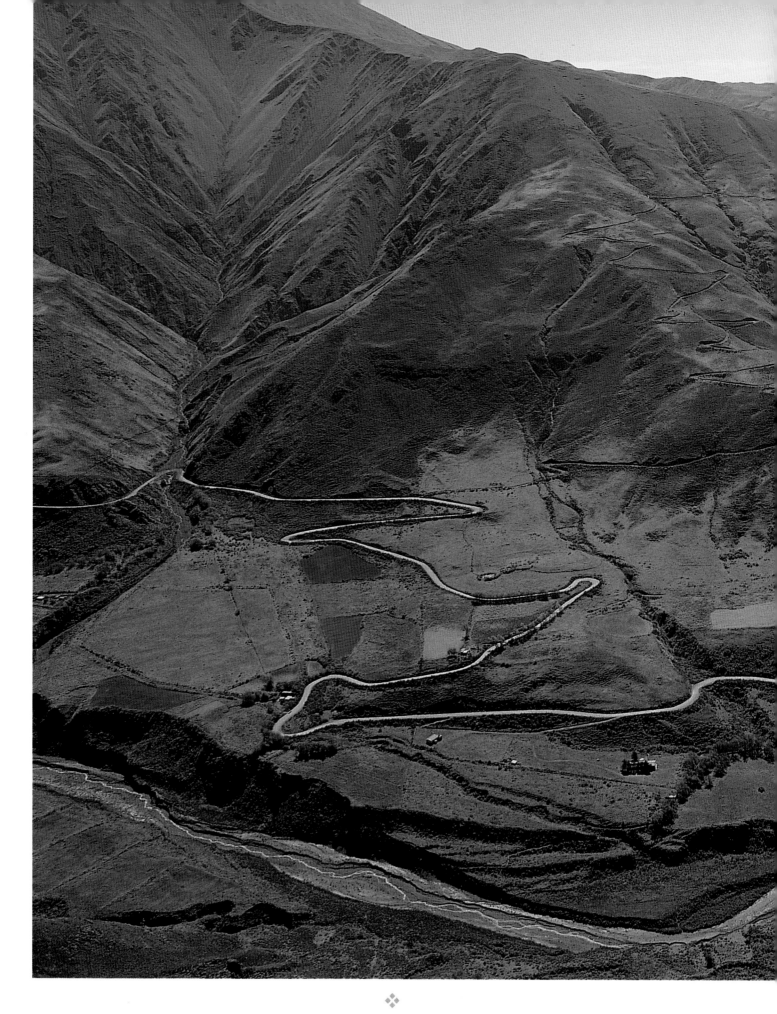

La Cuesta del Obispo conecta el Valle de Lerma con el Alto Valle Calchaquí en Salta.

The "Cuesta del Obispo" conects the Lerma valley with the "Alto Valle Calchaquí" at Salta.

En los extensos salares la extracción del valioso mineral se realiza mediante métodos antiguos y primitivos.

In the large salt mines the valuable mineral is extracted by primitive and ancient ways.

Turismo aventura y naturaleza

El ser humano desafía sus límites, se acerca a la naturaleza buscando sensaciones extremas, la Tierra responde y plantea en el noroeste argentino escenarios ideales para la práctica de deportes alternativos.

El montañismo y el trekking son actividades a las que la geografía del lugar les concede paisajes increíbles, cumbres majestuosas e imponentes volcanes que representan la tentación de cualquier andinista. Barrancos y paredes rocosas que proponen diversos grados de dificultad, se confunden entre los circuitos de sierras y valles, resultando perfectos para las cabalgatas o las travesías en mountain bike.

Atravesar intrincadas selvas, bosques milenarios y extensos salares en vehículos 4x4 permite acceder a parajes donde la naturaleza goza de su condición más virgen.

Las torrentosas corrientes de los ríos, arroyos y cascadas ofrecen adrenalina pura y estimulan a vivir experiencias como el rafting y el rappel. Las serenas aguas de lagunas y diques, excelentes para el kayakismo, el canotaje y la pesca deportiva, sucumben ante los silencios del medio ambiente y permiten el avistaje de una variada fauna autóctona.

Las corrientes térmicas ascendentes hacen planear a los aladeltas y parapentes, que decoran con sus figuras y colores los diáfanos cielos de la región.

Adventure Tourism and Nature

Human beings defy their limits and approach nature seeking high sensations. The Earth responds at the argentinean northwest offering ideal places for the practice of extreme sports.

Climbing and trekking are activities that offer incredible landscapes granted by the place's geography. Majestic mountain tops and great volcanoes represent a temptation to any climber. Cliffs and rocky walls that imply diverse degrees of difficulty, loose themselves among mountains and valley circuits, which are perfect for horse or mountain bike trips.

By crossing complex forests, millenarian woods, and extensive salt fields in 4-wheel drive vehicles, visitors can get to places where nature still enjoys its most virgin state.

The enraged water of the rivers, creeks and cascades convey pure adrenaline and the chance of living experiences such as rafting and rappel. The lagoons and dock calm waters, excellent for kayaking, canoeing and fishing, give in before the silences of nature and offer a varied view of the native fauna.

The ascending thermal currents make flying easy for gliders and parapentes that draw figures and colors on the diaphanous skies of the area.

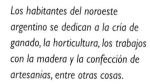

Los habitantes del noroeste argentino se dedican a la cría de ganado, la horticultura, los trabajos con la madera y la confección de artesanías, entre otras cosas.

© Alejo Schatzky

The northwest inhabitants
dedicate themselves to livestock
rearing, horticulture, art and
woodcrafts among other things.

© Andrés Pérez Moreno

(Arriba) Amanecer en el ecosistema de las Yungas a orillas del río Bermejo, en Salta.

(Izquierda) Salinas Grandes, en la provincia de Salta.

(Centro) Crepúsculo en la localidad de Cafayate, Salta.

(Derecha) Paso San Francisco a 4.748 mts sobre el nivel del mar, Catamarca.

© Secretaría de Turismo de Salta

© Andrés Pérez Moreno

© Andrés Pérez Moreno

© Andrés Pérez Moreno

(Above) Dawn at the Yungas on the Bermejo limits, at Salta.

(Left) "Salinas Grandes" at the Salta province.

(Middle) Twilight at the "Cafayate", Salta.

(Right) Passage San Francisco at 15,577 feets over the sea level, in Catamarca.

© Secretaría de Turismo de Salta

Tren a las nubes

Sus vías atraviesan solitarios pueblos que se pierden en la inmensidad de la Puna y envuelven los vestigios de antiguas civilizaciones atrapadas entre las fascinantes tonalidades del paisaje. El Tren a las Nubes se acerca tanto al cielo que su recorrido insinúa un auténtico desafío a la naturaleza.

La obra, que originalmente conectaba Salta con Antofagasta –Chile–, fue pensada con el objetivo de darle a la provincia argentina una rápida ruta de acceso al mar. Su trazado férreo fue diseñado para que una serie de zig-zags, rulos y túneles resolvieran los problemas que las empinadas subidas ocasionaban. En la actualidad el ferrocarril realiza sólo viajes turísticos que parten desde la capital salteña y cubren un trayecto de 219 km. Cruza el Valle de Lerma, luego se introduce en la quebrada del Toro y finalmente trepa hasta el viaducto La Polvorilla (en las cercanías de San Antonio de los Cobres). Campo Quijano es la primera parada del Tren, el pueblo afama su condición de fundacional debido a que en la etapa de construcción supo alojar a los obreros. Allí descansan los restos del ingeniero norteamericano Richard Fontaine Maury, quien estuvo a cargo del proyecto.

El viaducto La Polvorilla representa la sublime sensación de dar un paseo entre las nubes, allí el convoy transita un puente de 224 m de longitud, que con una altura de 63 m entrega maravillosas vistas de un paisaje que deja sin aliento a quien lo visite. San Antonio y su gente brindan una cálida bienvenida al pueblo, donde culmina la excursión.

Train to the Clouds

Its tracks run through lonely towns that loose themselves in the Puna´s immensity and border the remains of old civilizations cached among the fascinating tonalities of the landscape. The Clouds Train gets so close to the sky that its route insinuates an authentic challenge to nature.

The railway project, which originally connected Salta with Antofagasta in Chile, was thought up with the objective of giving the argentinean province a fast connection with the sea. Its layout was designed so that a series of zigzags, rollers, and tunnels solved the problems that the raised slopes created. Presently, the railroad only makes tourism trips that set out from the province's capital and cover a trail of 136.08 miles. The train crosses the Lerma Valley, goes into the Toro Ravine, and finally climbs to La Polvorilla viaduct (in the San Antonio de Los Cobres settlement). Campo Quijano is the train's first pit stop, which is famous due to the fact that it was created to lodge its construction workers. In such a place, lie the remains of the american Richard Fontaine Maury, who was in charge of the project.

The La Polvorilla viaduct gives the sublime sensation of walking over the clouds, where the convoy journeys through a bridge with an extension of 139.19 miles and a height of 206.69 feet, offering a view that leaves its visitors breathless. San Antonio and its people offer a warm welcome to the town, marking an end to the trip.

Sabores del altiplano

Sabores y texturas retratan el paisaje y hablan de las raíces andinas influenciadas por la cultura hispana. Tierras fértiles para ancestrales costumbres que reflejan la historia y las vivencias de su gente en los aromas de la cocina regional.

Sus comidas están marcadas por el ímpetu de los ingredientes que la Pachamama brinda y son reconocidas por su generosa condimentación a base de ají, pimentón y cebolla de verdeo. Entre los platos más tradicionales se encuentran los tamales, una pasta de maíz con carne envuelta en chala, las humitas que se elaboran con choclo rallado envuelto en hojas de maíz (foto pág. 123); las empanadas son pastelillos fritos u horneados rellenos de carne, cebolla y ají. El locro es un guisote de maíz, carne, chorizo, zapallo y tripas de cerdo, sazonado con salsa picante; la carbonada también lleva carne, maíz y orejones. El asado de cordero, de llama o de cabrito son los cortes de carne típicos de la región. El noroeste también se identifica por su larga tradición quesera: naturales o saborizados, los quesos acompañan tentadoras picadas junto al pan casero cocido en horno de barro.

Los dulces y la repostería seducen al paladar con quesillos de miel de caña, dulces de cayote con nueces, turrones de miel, alfajores y cuaresmillo (pequeño durazno preparado en almíbar).

Las bodegas de la región producen vinos de exportación, entre los que se destaca el Torrontés, pero las bebidas autóctonas por excelencia son la chicha -preparada con el fermento de harina de maíz o de maní con agua- y la aloja, elaborada con vainas de algarroba fermentadas.

© Ariel Mendieta

Upland Flavors

Flavors and textures portray the landscape and speak of the Andean roots influenced by the hispanic cultures. Prolific lands with ancestral cultures reflect their peoples' traditions and history in the regional cooking aromas.

Meals are marked by the Pachamama´s characteristic ingredients, which are recognized for the abundant use of red pepper, paprika, and onions. Amongst the more traditional dishes are the "tamales" and the "humitas" both served wrapped up in corn leaves, the first of which is mixture of meat and maize, and the second of which is made with corn (photo page 123). The "empanadas" are a type of closed fried or baked taco filled with meat, onions and red pepper. The "locro" is a mixture of maize, meat, chorizo, squash, and pork guts, seasoned with spicy sauce; the "carbonada" also has meat, corn and orejones. The lamb and baby goat "asado" (argentine barbecue) are

the typical meat cuts of the region. The northwest is also known for its old cheese tradition, with natural and spicy cheeses that are served mixed with baked breads as tempting snacks.

Candies and pastries seduce taste buds with honey cane cheeses, cayote nut candies, honey nougats, "alfajores", and "cuaresmillo" (small peaches prepared with syrup).

The region's wine cellars offer products for export, such as the Torrontés wine which is one of the most widely known; but the most distinctive drinks of the area are the "chicha" that is produced with corn flour or peanut fermentation, and the "aloja" prepared with fermented carob beans.

Las raíces y la esencia aborigen están representadas enérgicamente en milenarias pinturas rupestres y en los rostros de marcados rasgos de los habitantes de la región.

The roots and the native essence are represented in tha ancient cave paintings and on the natives face features.

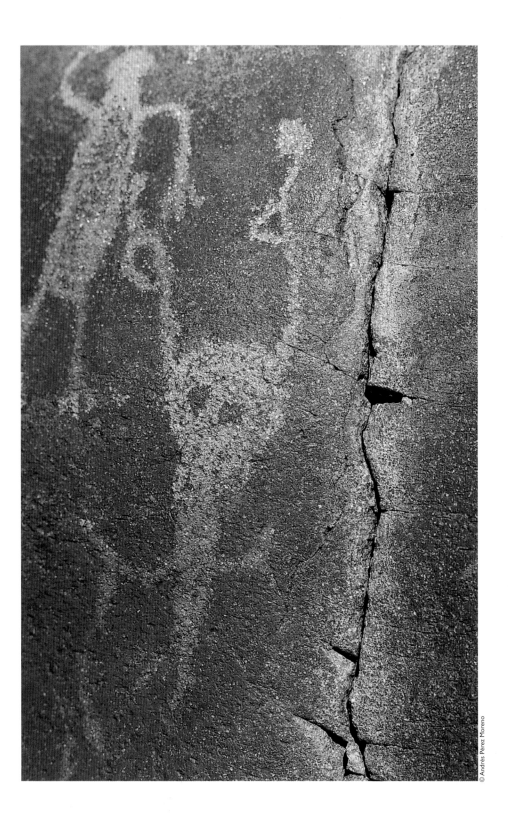

Argentina, Un Sueño Real

© Andrés Pérez Moreno

Ubicadas en los Valles Calchaquíes, en Tucumán, las Ruinas de Quilmes son un importante yacimiento arqueológico que representa el mayor asentamiento humano del país en la etapa prehispánica.

© Andrés Perez Moreno

Located in the Calchaquíes Valleys, Tucumán, the Quilmes Ruins are an important archeological site that represents the biggest pre hispanic human settlement.

© Carolina Cazes

(Arriba) El Cerro de los Siete Colores es el resultado de los movimientos tectónicos que asentaron sedimentos fluviales, marinos y lacustres que 600 millones de años atrás se fueron depositando en la región.

(Derecha) Las solitarias calles de Coctaca, en Jujuy, encierran los secretos de la civilización omaguaca que habitó la zona.

(Above) The Seven Colors Hill is the result of 600 million years of teutonic movements that settled fluvial, marine and lacustrine sediments.

(Right) The lonely streets of Coctaca, in Jujuy, preserve the omaguaca´s civilization secrets that lived in the area.

Indice

Index